劉福春・李怡 主編

民國文學珍稀文獻集成

第三輯

新詩舊集影印叢編　第115冊

【臧克家卷】

泥土的歌

1・桂林：今日文藝社 1943 年 6 月初版
2・上海：星群出版公司 1946 年 2 月滬初版

臧克家　著

花木蘭文化事業有限公司

國家圖書館出版品預行編目資料

泥土的歌／臧克家　著一初版一新北市：花木蘭文化事業有限公司，
2021〔民 110〕
94 面／106 面；19 ×26 公分
（民國文學珍稀文獻集成．第三輯．新詩舊集影印叢編　第 115 冊）
ISBN 978-986-518-473-5（套書精裝）
831.8　　10010193

ISBN-978-986-518-473-5
9 789865 184735

民國文學珍稀文獻集成．第三輯．新詩舊集影印叢編（86-120 冊）
第 115 冊

泥土的歌

著　者　臧克家
主　編　劉福春、李怡
企　劃　四川大學中國詩歌研究院
　　　　四川大學大文學學派
總編輯　杜潔祥
副總編輯　楊嘉樂
編　輯　許郁翎、張雅淋、潘玟靜　美術編輯　陳逸婷
出　版　花木蘭文化事業有限公司
社　長　高小娟
聯絡地址　235 新北市中和區中安街七二號十三樓
　　　　電話：02-2923-1455／傳眞：02-2923-1452
網　址　http://www.huamulan.tw 信箱 service@huamulans.com
印　刷　普羅文化出版廣告事業
初　版　2021 年 8 月
定　價　第三輯 86-120 冊（精裝）新台幣 88,000 元

泥土的歌

臧克家 著

今日文藝社（桂林）一九四三年六月初版。原書三十二開。

臧克家著
泥土的歌
今日文藝叢書
12

目次

土氣息

人型

大自然的風貌

土氣息

地獄和天堂

眞有個樂園
在天堂？
讓別人
駕着夢飛上去吧，
請爲我
反手加鎖在門上。
我，
在泥土裏生長，
願意
在泥土裏埋葬，

如果，有座地獄
在脚下開着口，
我情願跳下去，
不管它有多深，
因爲，我是大地的孩子，
泥土的人。

淚珠，汗珠，珍珠。

苦的淚珠，
鹹的汗珠，
不想它
來世變珍珠；

滴臭汗
滴到泥土裏去，
泥土給人顆顆穀粒；
讓飢餓
餓離碗底吧，
耕和飯一併吞下。

手的巨人

農民——
手的巨人
我有一支歌，
歌唱你的命運。

你的嘴
笨拙得可憐，
說句話
比鑄造還難。
你的臉上：
有泥土，
有風霜，
興洞到生命的海底，
你的心！
誰說生路窄！
你有硬的手掌，
命運是鐵，
身子是鋼。

你的眼睛，
那一雙小明鏡，
叫每個「高貴」的人
去認識他的原形。

命運的鑰匙

鋤桿
把手磨成繭，
鋤頭底下
產生了什麼？
——除了別人的溫飽
和嘲笑。

以沈默
作了五千年的回答，
「命運的鑰匙呢」？
今天，
你該開自鎖。

莊戶孫

「莊戶孫」，
謝謝把這樣一頂冠冕
加給農民——
你富貴人，
你聰明人，

—— ● ——

你都市
莊稼漢，
在你們眼裏也算是「蠢」，
壓死了不作聲，
餓死了不伸訴，
累死了——
等着別人
另外，你們所失掉了的寶貝
他們卻珍貴的保存：
勤苦，樸實、硬朗，
還有那一顆
光亮的良心。

海

鄉村
是我的海，
我不否認人家說
我對它的偏愛。
我愛那：
紅的心，
黑的臉，
連他們身上的疥瘡
我也喜歡。
都市的高樓

使我失眠，
在綠稻香裏，
在荳花香裏，
在馬蘭香裏，
一席光地
我睡得又穩又甜。
奇怪嗎？
我要問：
「世界上的孩子
那個不愛他的母親」？

酒

酒味

怎樣刺癢着酒徒，
土氣息
怎樣刺癢着我的鼻子。
這醇酒
叫我沉醉得厲害，
就像沉醉在
愛人身上那種特有的香味裏，
不願再醒過來。

反抗的手

上帝
給了享受的人

一聲口
給了奴婢
一個軟的脖頸；
給了命令者
一口劍；
同時，
也給了奴隸們
反抗的刀。

財產

蟲子
和蜜，

是鄉人的財產，
在生活的市場中，
身子
是他惟一的本錢。

髒

你指着麥苗
叫韭菜，
嘲諷這鄉村，
便把鼻子掩起來；
你，不要怪我
毅然的掉頭而去，

一堵高牆
把你我界開。

鋼鐵的靈魂

我不愛
刺眼的電紅燈，
我愛鄉村裏
柳梢上掛着的月明，
京劇
打不進我的耳朵；
我迷戀着野戲——
那一團空氣

[illegible][illegible]不神秘、親切，
生活的眞味，
和海樣的詩情。
鍍了假的油滑臉子
我最厭煩，
我想一把抓下來，
把它擲上天！
我喜歡農民鋼鐵的臉，
鋼鐵的話，
鋼鐵的靈魂，
鋼鐵的雙肩。

手和腦

幾時，
用腦子
也像用手，
苦難沒落，
幸福便抬頭。

裸

幾乎是
一年四季赤着胸膛，

是要把良心裸露給／
和皮肉一樣？

手

臭蟲
和吸血鬼，
有同樣
大的肚子，
尖的嘴。
養我的血——
滿滿流
可是　他也有一雙

—— [illegible] ——

不怕沾血的手。

窗子

打開靈魂的窗子，
讓它照上
自世紀五十年代的陽光。
在這X光底下，
你的病狀
貧弱 自私、占霸，
使無法再隱藏，
用自發的手
去開刀，

痛苦是當然，
新的肉芽未茁出之前。

生活的圖式

不要說，
這生活的公式
是從祖先留傳下來的，
不要說
在祖父手裏
就是這個樣子，
在父親手裏
就是這個樣子；

擧你自己的手
把它翻新一下吧，
叫你的子孫說：
從我祖父起，
從我父親起，
生活就是這個樣子。
因爲，你的祖父，
已經是過去的了，
你的父親，
已經是過去的了，
廿紀念却是你們的……
在煉獄中
苦煉了幾千年的

中國的「多數」的農民底歌

嶄新的管子
長在農民的嘴角上，
像漫坡的高粱
扎根在泥土裏一樣，
他們，
手把着鋤頭；
歌聲，
使田野
充滿了戰鬪。

英雄

用別人鮮血
寫出來的「名子」
沒有解釋，
這樣的英雄，
被崇拜：
像戰場過
灑了血汗
爲人類，
自己却躲在
「成功」的圈外。

新人

敵人，
把用暴力刼去的
土地和人民，
一起洗過——
用血，
用火。
春風再度吹來的時節，
新的土地上，
竚立着新的人。

人型

失了時效的合同

祖父苦了一輩子，
死後佔不到一口薄棺木，
不用說起墳的幾尺土。
兒子抬起了那份生活，
仍然走着舊路；
孫子還是個稚童，
已經學着放牛割草，
一代一代的傳下去，
「辛勞」是傳家之寶。
是衛世

在生命的合同上畫過押？。
就是那樣，
這份合同也早該撕掉。
（它已經失了時效）。

飢饉

樹木，
還沒有迎接到、
春天，
未成熟的少女似的肢體，

[illegible]乎了搖擺——

摘光了葉，

剝掉了皮，

血肉模糊的

裸露着身子。

剩了一枝柳條

靠吵，靠拚命的

瞧不清親疏遠近——

餓花了的眼睛！

不管吃下肚子

以後的事，

眼前有石頭

也抓過來充飢！

—— 🙡 ——

淪陷了的土地上
生命在掙扎，
敵人把飢餓
帶給了中國的農民。

窮

屋子裏
找不到隔宿的糧，
鍋，
空着胃，
偷竊的老鼠
餓得發慌，

主人不在家，
門上打把鎖，
門外的蕭風
餐虎頭。

黃金

提防着黑夜，
農民在亮光光的場子上
做他們的黃金夢，
夢醒了，
他們把粒粒黃金
去送給別人，

復活

紡花草
是一個老媼
像落蒂的果子
她老死了
灰塵把它葬埋在
牆角的墓地，
蛛網替她
織一身壽衣。
今天，
我又聽見她歌唱

在鄉村裏，
她再生了，
並帶着新的靈魂
[illegible]了[illegible]的[illegible]體。

「犁」

老屋，
爛了頂，
再也受不住風雨的吹打，
[illegible]陣[illegible]入「屋」—
[illegible]
只[illegible]色[illegible]的[illegible]花。

屋子裏的主人
也是一樣，
只有拿[illegible]伴着她生活。
看[illegible]着[illegible]的勞碌
把她剩下的這一個人「[illegible]」！

三代

小孩子
在土裏洗澡；
爸爸
在土裏流汗[illegible]。
爺爺

在土裏掩埋。

見習

祖父弓着腰
拉琴，
小孩子
在一邊「見習」；
一回，他把比他更長的琴桿
接到手裏，
拉一下，
笑着望一望祖父，
祖父，

立在一邊
做監督。

笑的曇花

犧牲——
換得到半個
希望的結果，
農人臉上
有了笑，
笑，
也只是曇花一朵。

鞭子

毛驢子的鐵鞋
已經磨光，
背上馱着的布袋
一步比一步有分兩！
主人打着赤脚，
不放鬆的緊趕，
彷彿他的「主人」——
在身後，
手裏持着同樣的皮鞭。

糞和米

開涼了，
滿村大甑香，
一觸到高潔的鼻子
他會翻腸！
只知道
白米好吃，
好像從天上
掉到了他的口裏。

潮

物價，
一刻比一刻高，
像漲潮；
商人，
一天比一天肥，
滿臉笑；
油鹽變成了奢侈品，
窮人身上
骨頭長，肉銷。

金錢和良心

在富人手裏，
一個金錢
就是一棵搖錢樹，
把良心扔在一旁，
把頭顱揹在背上，
商人們把手一伸，
國難財像水淌；
莊稼人：
用良心，
用汗水，

—49—

換來一張法幣，
同樣的一張法幣，
多麼不同的生活意義！

送軍麥

軍麥，孩子一樣，
一包一包，
擠壓着身子，
和衣睡在露天的牛車上
牛，咀味着草香，
頸下的鈴鐺
搖得黃昏響。

燎火一閃一閃，
閃出夢的詩的迷濛，
這是農人們
以青天作幌幕，
在長途的野站裏，
晚炊的火光。

小兵隊

左手
挽着菜提籃，
鐮刀當槍

群小兵隊

從野外開來了，
口裏唱着抗日歌，
步子整齊而
一開一合。
看齊前——！
突然一聲口令，
他們向我這陌生客敬禮，
接着，一陣歡笑
解開了緋紅的臉子。
「先生，我跟您去當兵！」
（我迴去，我也去，
你聽那紛紛的吵嚷聲！）

不要看我年紀小，
明年，我就能扛動槍，
明年，我就長得這麼高。
說着，他把手舉到頭頂，
劃一條最高的標準線，
同時，抬起頭來，
投射出希望的眼睛。

家　書

一個陌生的客人
來扣門，
惹得雞叫狗咬

一大陣，
郵差背着他的綠包
走了，
他投下了
是一封遠方的信。
封皮上寫着
寄自什麽地方，
他們認不得，
信瓣裏寫着些什麽話，
他們認不得，
揩揩着手掌，
數算他投遞的年月，
緊緊的把握着信，

像把握着一個靈魂。
最後，男主人拿着信，
後邊緊着老婆孩子一大羣，
他們連跑帶嚷的
去找「王大先生」，
他是這莊裏的一個「聖人」

他回來了

哥哥請假回來看家，
牽掛的親人
放下了那條懸掛的心，
自從出了門

沒有消息回來，
今天，他的身子
是幾年來寄到的
第一封「家信」。
他的口，
一條小河
淙淙的流，
母親坐在紡花車旁
像坐在夢中，
冷冷刺從瑕下抽回身，
鋤桿躺在懷裏，
大家靜聽着他，
像靜聽着

當在白日讀一封「家信」—。
小孩子
在大人空隙裏穿梭，
歡喜而又提怯的
用一雙好奇的小手
向爸爸腰間的短槍偷摸。
他的女人，
臉上燒着火，
在別人不留意的時候，
在他過身溜眼波。

活路

土地，

作了敵人的俘虜，
而你們的心
是自由的。
イ操武器的
武裝起來
去打擊敵人；
不然．會被敵人武裝起來
來打自己，
活路只有一條，
農民呀，是你們挺身而起的時候了！

大自然的風貌

眼睛和耳朵

我的眼睛
能從晚照裏
看出第二天的陰晴，
我聽得出，
那種鳥兒
能喚來雨，
呼來風。
「布穀」一開口
叫農人下坡，
天河一變，

孰吃新米一乾飯」，
紡織娘叫，
紡花車財轉，
蟋蟀唧唧一聲，
跟着來個秋天……
在洋場裏
我是枯魚一條；
在鄉村，
你說那一樣我不地道！

沈默

青山不說話，

我也沈默，
時間停了脚，
我們只是相對。
我把眼波
投給流水；
流水把眼波
投給我，
紅了眼睛的夕陽，
你不要把這神秘說破。

詩集

白[illegible]

搖擺綠的手掌，
顫成抖動翅膀；
蕭蕭作聲浪，
萬片詩葉
在半空發狂。

靜

一只白鴿
在半空裏畫圈，
天，
更大，
更藍；

一雙蒼蠅
擾人好夢，
六月天的白晝
更長，
更[illegible]寂。

蟲的畫圖

二 雙老黃牛
靠著[illegible]，
一群[illegible]
[illegible]，
[illegible]，

放着，
同孩子們[illegible]，
小狗在[illegible]上躺，
烏鴉[illegible]來[illegible]
慢搖着尾巴，
一隻又[illegible]在牛的背上。

遙望

像遠稼若斗，
像一個詩人，
弓着腰向田野大瞭望，
夕陽把殘照

— [illegible] —

留在一片樹梢上。
他呢，彷彿是在默想，
想什麼？
當年胯下的竹馬，
變成今天的手杖。

珍珠

黃鸝，
把一串清脆的珍珠
撒落了朝陽燦爛的網裏，
早起人的耳朵，
是有福的了。

死水

一灘綠水
發了霉，
太陽，
任水皮—蒸發起
小的濃瘡，
男子
任水邊砍中，
女人
排在淺灘上
洗衣裳，

白鵝
在水上划船，
孩子們，
沈下去
又浮上來，
這一灣死水，
有了笑，
也有了光。

村頭

村頭的樹木
歡迎的行列似的

一棵換一棵。
殷勤的揮着手，
把海濱公路
一直送到蘇澳以外。
載重汽車
嗚嗚的捲一片塵土
來了，
又匆匆的，
帶着一條條興奮的眼光
踽踽的去了。
大隊騎兵
鼓起浪濤馳過去，
把大串鐵蹄聲
留在一羣小孩子的羨笑裏。

—●—

暴雨

蜻蜓
在半空佈陣，
婦女喚雞聲
叫響了莊村，
一陣「霎眼」，（註一）
「龍」，掉下條尾巴，（註二）
一個悶雷
天上雨下來
暴雨的門。

註一：[illegible]
註二：[illegible]

夏夜

夏天的晚上，
鄉村有[illegible]，
黑影給人遮蓋，
泥身[illegible]個滑光。
藍天做被褥，
大地是牀，
一[illegible]天[illegible]蓋，
夜[illegible]來[illegible]們。

影

春，
在鄉間。
桃花
開紅了一條河岸，
和紅花映照——
遠處有青山。
一個少女浣紗歸來，
映着桃花
[illegible]的[illegible]，
在[illegible]水上，

紅霞正燦爛
站在恰好的距離點上，
留戀她的倩影，
[illegible]的頭髮上
飄過了一絲爽風。

秋

天，
升高了，
撒下白雲到處飛。
太陽，這個慷慨施與者，
它向世界大量撒黃金。

大野，
像一顆淒涼的心，
支持它的，
是「高粱園」，
是一簇簇墓碑，
是搖着身子的枯草，
是「拉大包」的窮人。

寒冷的花

冬來了，
寒冷開出了
北國的花。

風，
作獅子的吼叫，
爪子撕裂着大地，
沙土攪起了，
攪成一團迷魂陣。
大雪
把窮人趕到了「地窟子」裏去——
用一面草「簾子」
把嚴寒擋在外邊。
他們在裏面打草鞋，
閒談
抽一把煙，
向寒欺人呼吸的一點熱氣

取暖。
一[illegible]的聲音
有的人拼[illegible]的[illegible]。
常[illegible]
有[illegible]
了[illegible]子[illegible]不得門，
[illegible]在冷炕頭上，
聽[illegible]小曲，
[illegible]的[illegible]牙齒作戰。

春鳥

[illegible]我帶着夢裏的心跳，

— 四 —

睜大發狂的眼睛；
把黎明貼到了我的窗紙上——
你真理一樣的歌聲。
我吁一口長氣，
拊一下心胸，
僵床上的噩夢不留行蹤。
走進了神聖的靈夢，
歌聲
像綴在天上的星群似的，
燃燒起燦爛，
像若干隻女神的手
一齊撫着生命的鍵，
美妙的音流

— 70 —

從綠樹的葉間，
從蔚藍的海上，
遠處才帶來自由的一譚。
是誰能放開嗓子
歌唱着自由的季節。
歌着你們青春之歌
招喚出
從冬眠的床上叫醒，
寒冷離開了它
我踏着東風的脚蹤。
你的口
啣着青春，
像山澗水的媚眼；

你的口
歌向流水，
流水野孩子一般；
你的口
歌向草木，
草木開出了青春的花朵；
你的口
歌向大地，
大地的身子應聲酥軟；
蟄虫聽到了你的歌聲，
蝸蝸出殼
到太陽底下去爬行；
人類聽到了你的歌聲，

活力衝湧得彷彿新生……
而我，有着同樣早醒的一顆詩心，
也是同樣的不懼寒冷，
我也有一串生命的歌，
我想唱，像你一樣，
但是，我的喉頭上鎖着鍊子，
我的嗓子在痛苦的發癢。

五月廿日於萬島叢中

墳

一生的辛苦
把身子按倒，

他開墾過的背阡上
添了一堆黃土。
墳，
像他的窮人，
寒微，謙卑，
搖着纖樑白草，
捲在西風的懷裏。
活着的時節，
工作在田地裏，
死後，他在替兒孫
看守着這田地。
黃昏攏過來，
他要破土而出，

拉住個人
談談心。

社戲

開場鑼
敲得人心慌，
孩子的手
把大人的飯碗奪掉，
他不管你吃飽沒吃飽。
壓箱底的花衣裳，
一年難得見它一兩次面，
今晚上，它給了孩子們光彩，

不管別人看見看不見。
明月把曠野
汪成海洋，
遠近的鼾聲——
一浮一沈的浪。
木梆子報過三更了，
這裏那裏的敲門聲，
敲出了狗的狂吠，
敲碎了別人的夢。
孩子，
睡在大人的肩上，
板凳，
睡在大人的肩上，

他們回來了——
帶着星光，
帶着燈光，
帶着燈光底下
那一片情景，
帶着舞劇中人
開出的淚花和笑影，
帶着這一些，
一直帶到夢中。

收成

黎明島

是一口自由鐘
掛在農村，
忽然響起來
半夜三更，
是把十五的月亮
認做太陽？
睡眼朦朧的亂轉着時針—
身子
打着床板，
我用了不眠的眼
向着窗上的白光，
轔轔的車聲
震響了古道，

從我耳中
墜入了渺茫。
拍門聲——
一家，兩家，三家
被驚動，
隔牆遙呼聲，
那麼親切，那麼打動，
聲音像詩又像夢，
從聲音裏
聽得出年齡，
聽得出那個是婦女，
　　那個是兒童。
「真的天亮了嗎」？

我懷疑自己的眼睛，
點亮小燈」一看錶，
不對吧，才兩點鐘。
天尚早，我沿着溝底的小徑，
（兩邊的岸灘像齊的石壁，
它是條小溪貫串在箇中，
反剪起手，挺着鬱結的胸膛，
每天早晨我給它踏上一串腳步聲。）
登上那光綠的石台，
迎接太陽，臉朝着東，
遠處的山色來到我們的眼底，
郊原是多麼坦蕩，比我的心胸！
今早，原野上

開始了搶險的「戰爭」，
到處是人羣，
弓起腰向前移動
像伏兵。
這是農人們
向自然作最後的鬭爭，
舉起他們的武器——鐮刀，
向着麥隴，
他們從旱勞裏，
　　從虫子和黃丹的侵害裏，
從血汗和担心裏，
跳了出來，
今天，把一刻當一天，

以「速戰速決」的精神
爭取着收成。
鐮刀後面
緊追着襤褸的大隊——
她們沒有土地，
卻有着要飯吃的嘴，
他們從別人的手底下
爭撿着遺穗
伸向鄉村的小道上
活躍着「坦克」，
不用人牽，
老牛它會把麥捎的山崗
移到主人的場垣。

場垣，
充實了一個希望，
夜裏有人把守着它的夢。
白天有人在上面忙。
一粒麥子，
是一顆汗珠，
一顆黃金，
從外場流入了內倉
可是，他們自己捨不得吃它，
一斗一斗的，
一石一石的
往布袋裏裝，
他們那麼辛勞的

吝嗇的收進來；
這麼熱心的
慷慨的
拿去做軍糧，
千百萬大軍在火線上
手握着槍，
有更多的手把着鋤頭
在後方。

今日文藝叢書

第十二冊

泥土的歌

中華民國卅二年六月桂初版

著作者 臧克家
編輯者 黎丁
發行者 林濟良
社址 桂林榕湖六十三號
出版者 今日文藝社
發行所 桂西路[illegible]卅號
印刷者 今日印刷所
定價國幣十元
外埠酌加郵費

（桂審3000.P.04）

泥土的歌

臧克家 著

星群出版公司（上海）一九四六年二月滬初版。
原書四十開。

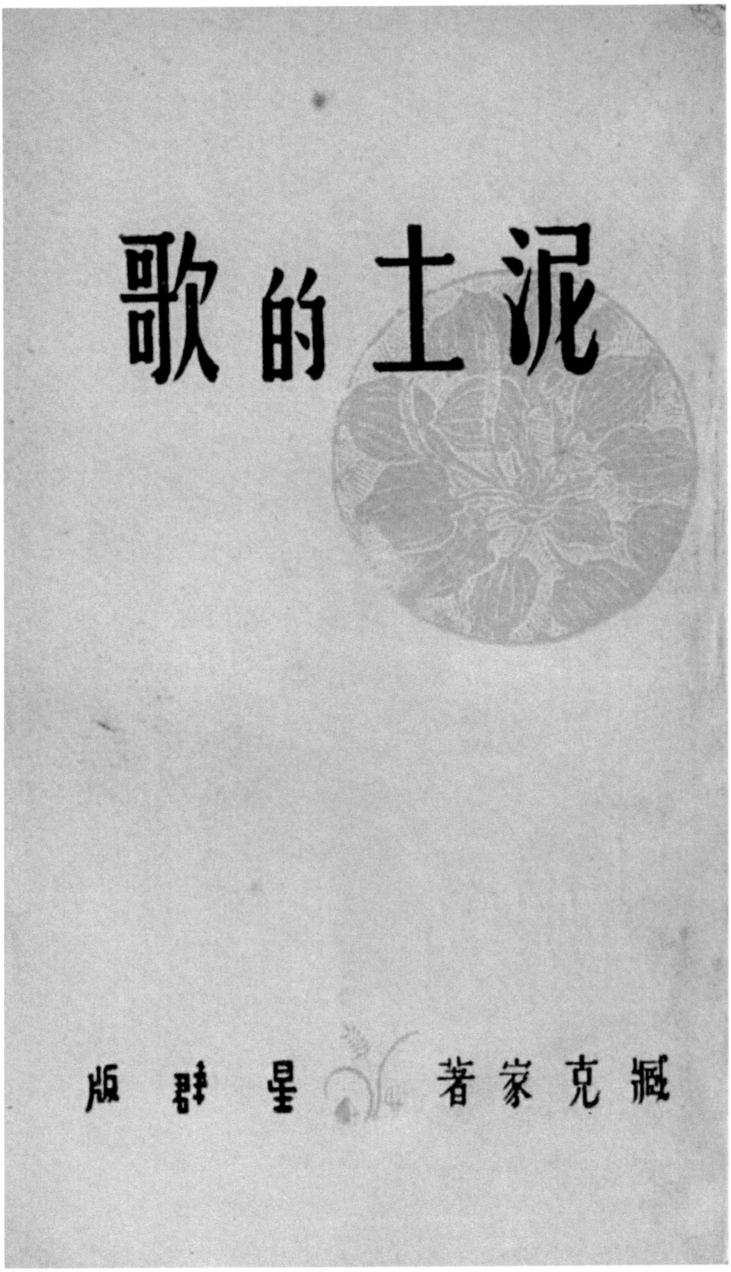
泥土的歌
臧克家著
星群版

1946

序句

我用一支淡墨筆
速寫鄉村，
一筆自然的風景，
一筆農民生活的縮影：
有愁苦，有悲憤，
有希望，也有新生，
我給了它一個活栩栩的生命
連帶着我滿深的感情。

目次

人型

當中隔一段戰爭

「泥土的歌」是從我深心裏發出來的一種最眞摯的聲音，我嫟愛、偏愛着中國的鄉村，愛得心癡、心痛、愛得要死，就像拜倫愛他的祖國的大地一樣．我知道，我最合適於唱這樣一支歌，竟或許也只能唱這樣一支歌．

但是，喜悅我而爲我所喜悅的大自然的風光，不是隨着時代與心情在改變它的顏色嗎？

但是，一合眼即幢幢於眼前如一張動人的畫片，栩栩然欲活起來的那些我所摯愛的如同家人的農民，不也正在掙扎、奮鬥、翻身，而且已經脫殼新生了！

幾時，不再讓我爲他們的悲慘命運發愁、悲傷、憤怒，不再唱這樣令人不快的歌？

幾時，讓我替他們——中國的農民，出自眞情如同他們唱悲哀的歌一樣唱一支快樂的、解放的歌？

他們的這一天，將要到了，而且已經到了；我自已的這一天應該快到了，快到了，但是我的心爲什麼却這樣煩擾不安呢？

這本詩集，曾在桂林出版，不久因爲該地撤守，書籍的命運也就可想而知了．今再重印於上海，當中已經隔一段戰爭了．

克家誌於重慶歌樂山大天池

一九四五年九月二十一日

· 8 ·

土氣息

地獄和天堂

眞有個樂園
在天堂？
讓別人
駕着夢飛上去吧，
請爲我
反手加鎖在門上。
我，
在泥土裏生長，
願意
在泥土裏埋葬，

如果，有座地獄
在脚下開着口，
我情願跳下去，
不管它有多深，
因爲，我是大地的孩子，
泥土的人。

淚珠・汗珠・珍珠

苦的淚珠，
鹹的汗珠，
不想它
來世變珍珠；
讓臭汗
滴到泥土裏去，
泥土給人顆顆穀粒；
讓淚珠
滴進碗底吧，
好和飯一併吞下。

手的巨人

農民——
手的巨人・
我有一支歌
歌唱你的命運・
你的嘴
笨拙得可憐，
說句話
比鑄造還難・
你的臉上：
有泥土，

・14・

有風雲，
直泅到生命的海底，
你的心！
誰說生路窄？
你有硬的手掌，
命運是鐵，
身子是鋼。
你的眼睛，
那一雙小明鏡，
叫得個「高貴」的人
去認識他的原形。

命運的鑰匙

鋤桿
把手磨成繭，
鋤頭底下
產生了什麼？
——除了別人的溫飽和嘲笑。
以沈默
作了五千年的回答，
「命運的鑰匙呢」？
今天，
你該問自家。

莊戶孫

「莊戶孫」，
謝謝把這樣一頂冠冕
加給農民——
你富貴人，
你聰明人，
你都市人！
莊稼漢，
在你們眼裏也眞是「孫」
壓死了不作聲，
冤死了不伸訴，

累死了——
爲着別人，
另外，你們所失掉了的寶貝
他們却珍重的保存：
勤苦，樸實，硬朗，
還有那一顆
光亮的良心。

• 18 •

海

鄉村
是我的海，
我不否認人家說
我對它的偏愛。
我愛那：
紅的心，
黑的臉，
連他們身上的瘡疤
我也喜歡。
都市的高樓

使我失眠，
在麥稭香裏，
在豆稭香裏，
在馬糞香裏，
一席光地
我睡得又穩又甜。
奇怪嗎？
我要問：
「世界上的孩子
那個不愛他的母親？」

酒

酒味
怎樣刺癢着酒徒，
土氣息
怎樣刺癢着我的鼻子。
這醇酒
叫我沈醉得厲害，
就像沈醉在
愛人身上那種特有的香味裏——
不願再醒過來。

反抗的手

上帝
給了享受的人
一張口；
給了奴婢
一個輭的膝頭；
給了拿破崙
一口劍；
同時，
也給了奴隸們
一雙反抗的手。

· 22 ·

財產

蝨子和
債，
是農人的財產，
在生活的市場中，
身子
是他惟一的本錢。

牆

你指着麥苗
叫韮菜，
剛踏進鄉村，
便把鼻子掩起來；
你，不要怪我
默然的掉頭而去，
一堵高牆
把你我界開．

鋼鐵的靈魂

我不愛
刺眼的霓紅燈，
我愛鄉村裏
柳梢上掛着的月明，
京劇
打不進我的耳朵，
我迷戀着社戲——
那一團空氣
漾溢着神祕，親切．
生活的眞味，

和海樣的詩情。
鍍了假的油滑臉子
我最厭煩，
眞想一把抓下來，
把它擲上天！
我喜歡農民鋼鐵的臉，
　鋼鐵的話，
　鋼鐵的靈魂，
　鋼鐵的雙肩。

・26・

手和腦

幾時，
用腦子
也像用手，
苦難沒落，
幸福便抬頭。

裸

幾乎是
一年四季赤着胸膛，
是要把良心裸露給人
和皮肉一樣？

下

臭蟲
和吸血鬼，
有同樣
大的肚子，
尖的嘴。
農民的血
滴滴流，
可是，他也有一雙
不怕沾血的手。

生活的圖式

不要說，
這生活的公式
是從祖先留傳下來的，
不要說
在祖父手裏
就是這個樣子，
在父親手裏
就是這個樣子；
讓你自己的手
把它翻新一下吧，

・30・

叫你的子孫說：
從我祖父起，
從我父親起，
生活就是這個樣子。
因爲，你的祖父，
已經是過去的了，
你的父親，
已經是過去的了，
廿世紀却是你們的——
在煉獄中
若煉了幾千年的
中國的「多數」的農民呵！

歌

嶄新的歌兒
長在農民的嘴角上，
像漫坡的高粱
扎根在泥土裏一樣。
他們，
手把着鋤頭；
歌聲，
使田野
充滿了戰鬥。

英雄

用別人的血
寫出來的「名子」
沒有光彩；
這樣的英雄，
我崇拜：
像農民，
洒了血汗
爲人類，
自己却躲在
「成功」的圈外。

新人

敵人，
把用暴力刼去的
土地和人民，
一起洗過——
用血，
用火，
春風再度吹來的時節，
新的土地上，
站立着新的人，

人丑

失了時效的合同

祖父苦了一輩子，
死後得不到一口薄棺木，
不用說起墳的幾尺土。
兒子拾起了那份生活，
仍然走着舊路；
孩子還是個孩童，
已經學着放牛割草，
一代一代的傳下去，
「辛勞」是傳家之寶。
是前世

在生命的合同上畫過押？
就是那樣，
這份合同也早該撕掉
（它已經失了時效）

窮

屋子裏
找不到隔宿的糧，
鍋，
空着胃，
亂竄的老鼠
餓得發慌；
主人不在家，
門上打把鎖，
門外的西風
賽虎狼．

黃金

提防着黑夜，
農民在亮光光的場子上
做他們的黃金夢，
夢醒了，
他又把粒粒黃金
去送給別人。

·40·

復活

紡花車
是一個老嫗，
像落蒂的果子
她老死了，
灰塵把它葬埋在
牆角的墓地，
蛛網替她
織一身壽衣。
今天，
我又聽見她歌唱。

在鄉村裏，
她再生了，
一個新的靈魂
借了舊的尸體。

「型」

老屋，禿了頂，
再也受不住風雨的吹打，
看上去叫人發愁——
那屋頂上開着的
灰色植物的慘白小花。
屋子裏的主人
也是一樣，
只有冷空氣他不缺乏，
看疾病貧困的刀鋒
把他刻成怎樣一個人「型」！

三代

孩子
在土裏洗澡；
爸爸
在土裏流汗；
爺爺
在土裏葬埋。

見習

祖父弓着腰
拉鋤，
小孩子
在一邊「見習」
一回，他把比他更長的鋤桿
接到手裏，
拉一下，
笑着望一望祖父，
祖父，立在一邊
做監督。

笑的曇花

收穫——
鐮刀割下個
希望的金果，
農人臉上
有了笑，
笑，
也只是曇花一朵。

鞭子

毛驢子的鐵鞋
已經磨光，
背上壓着的布袋
一步比一步有分兩！
主人打着赤脚，
不放鬆的緊趕，
彷彿他的「主人」
在身後，
手裏持着同樣的皮鞭。

糞和米

開凍了，
滿村大糞香，
一觸到高潔的鼻子
他會翻腸！
只知道
白米好吃，
好像從天上
掉到了他的口裏。

潮

物價，
一刻比一刻高，
像漲潮；
商人，
一天比一天肥，
滿臉笑；
油鹽變成了奢侈品，
窮人身上
骨頭長，肉銷。

金錢和良心

在富貴人手裏，
一個金錢
就是一棵搖錢樹；
把良心扔在一旁，
把頭顱揹在背上，
商人們把手一伸，
國難財像水淌；
莊稼人：
用良心，
用汗水，

換來一張法幣，
同樣的一張法幣，
多麼不同的生活意義！

送軍麥

軍麥，孩子一樣，
一包一包，
擠壓着身子，
和衣睡在露天的牛車上，
牛，咀味着草香，
頸下的鈴鐺
搖得黃昏響。
燎火一閃一閃，
閃出夢的詩的迷濛，
這是農人們

以青天作帳幕，
在長途的野站裏，
曉炊的火光。

小兵隊

左手，挎着草提籃，
鐮刀當槍
扛在右肩，
看小兵隊
從野外開來了，
口裏唱着抗日歌，
步子像張口
一開一合。
「立正」！
突然一個口令，

他們向我這陌生客敬禮，
接着，一陣竊笑
解開了綳着的臉子。
「先生，我跟您去當兵！
（我也去，我也去，
你聽那紛紛的吵嚷聲！）
不要看我身量小，
明年，我就能扛動槍，
明年，我就長得這麼高。」
說着，他把手舉到頭頂，
劃一條最高的標準線，
同時，抬起頭來，
投射出希望的眼睛。

家　書

一個陌生的客人
來扣門，
惹得雞叫狗咬，
一大陣，
郵差背着他的綠包
走了，
他投下了
一封遠方的信。
封皮上寫着
寄自什麼地方，

• 56 •

他們認不得，
信瓣裏寫着些什麼話，
他們認不得，
掐捻着手指，
數算他投軍的年月，
緊緊的把握着信，
像把握着一個靈魂．
最後，男主人拿着信，
後邊綴着老婆孩子一大堆，
他們邁跑帶蹓的
去找「王大先生」，
他是這莊裏的一個「聖人」．

他回來了

哥哥請假回來看家，
家裏的親人
放下了那條懸掛的心，
自從出了門
沒有消息回來，
今天，他的身子
是幾年來寄到的
第一封「家信」。
他的口——
一條小河

淙淙的流，
母親坐在紡花車旁
像坐在夢中，
弟弟剛從坡下抽回身，
鋤桿躺在懷裏，
大家靜聽着他，
像靜聽着
請人替自己讀一封「家信」.
小孩子
在大人空隙裏穿梭，
歡喜而又畏怯的
用一隻好奇的小手
向爸爸腰間的短槍偷摸.

他的女人，
臉上燒着火，
在別人不留意的時候，
在他週身溜眼波。

大自然的風貌

眼睛和耳朵

我的眼睛
能從晚照裏
看出第二天的陰晴，
我聽得出，
那種鳥兒
能喚來雨，
呼來風。
「布穀」開口
叫農人下坡，
天河一彎，

就吃新米「乾飯」，
紡織娘叫，
紡花車就轉，
蟋蟀唧唧一聲，
跟着來個秋天……
在洋場裏
我是枯魚一條；
在鄉村，
你說那一樣我不地道？

· 64 ·

沉默

青山不說話，
我也沉默，
時間停了脚，
我們只是相對。
我把眼波
投給流水，
流水把眼波
投給我，
紅了眼睛的夕陽，
你不要把這神秘說破、

詩葉

白楊
搖擺綠的手掌，
靈感抖動翅膀；
蕭蕭作聲浪，
萬片詩葉
在半空發狂。

靜

一只白鴿
在半空裏畫圈，
天，
更大，
更藍；
一隻蒼蠅
擾人睡夢，
六月天的白晝
更長，
更靜。

生的畫圖

一雙老黃牛
齊步向前，
一隻手把犂
跟在後邊，
新土翻起浪，放香，
同孩子作伴，
小狗在地頭上躺，
烏鴉跟起犂
慢搧着翅膀，
一回又落在牛的背上。

・68・

遙望

你莊稼老漢，
像一個詩人，
弓着腰向西天遙望，
夕陽把殘照
留在一片樹梢上．
他，彷彿是在默想，
想什麼？
當年胯下的竹馬，
變成了今天的手杖．

珍珠

轆轤，
把一串清脆的珍珠
撒在朝陽燦爛的網裏，
早起人的耳朵，
是有福的了．

死水

一灣綠水
發了霉，
太陽，
在水皮上蒸發起
小的濃瘡，
男人
在水邊飲牛，
婦女
排在灣堰上
洗衣裳，

白鷺
在水上划船，
孩子們，
沉下去
又浮上來。
這一灣死水，
有了笑，
也有了光。

村頭

村頭的樹木，
歡迎的行列似的
一棵挨一棵，
殷勤的擺着手，
把一條公路
一直送到視線以外。
載重汽車
嗚嗚的捲一片塵土
來了，
又匆匆的，

帶着一條條興奮的眼光
嗚嗚的去了。
大隊騎兵
披起涼蔭馳過去，
把大串鐵蹄聲
留在一羣小孩子的蠢笑裏。

暴雨

蜻蜓
在半空佈陣，
婦女喚雞聲
叫響了莊村，
一陣「雲磨」，註
「龍」，掉下條尾巴，
一個沉雷，
天上踏下來
暴雨的脚。

註：「雲磨」暴雨來時的一種聲響。

夏夜

夏天晚上，
鄉村大解放，
黑影給人遮蓋，
混身剝個淨光。
藍天做被單，
大地是牀，
一天的辛勞，
夜，來給補償。

影

春，
在鄉間。
桃花
開紅了一條河岸，
和紅花映照——
遠處有青山。
一個少女浣紗歸來，
依着桃花
望西天，
（西天上，

紅霞正燦爛，）
站在恰好的距離點上，
望她的背影，
耳邊的頭髮上
飄過了一縷東風。

秋

天，
升高了，
撒下白雲到處飛。
太陽，這個慷慨施與者，
它向世界大量撒黃金。
大野，
像一顆淒涼的心，
支持它的，
是「高粱園」，
是一兩聲蟋蟀，

是搖着身子的枯草，
是「拉大巴」的窮人。

· 80 ·

寒冷的花

冬來了，
寒冷開出了
北地的花。
風，
作獅子的吼叫，
爪子撕裂着大地，
沙土揚起了，
攪成一團迷魂陣。
大雪，
把窮人趕到了「地屋子」裏去——

用一面草「擋子」
把嚴寒擋在外邊．
他們在裏面打草鞋，
閒談，
向一把草，
向多數人呼吸的一點熱氣
取暖．
一樣的冬天，
有的人把眼前的景色
當畫看；
有的人，
「燈籠褲子」使他出不得門，
瑟縮在冷炕頭上，

聽肚子裹唱餓餓的小曲，
聽自己的上下牙齒作戰。

春鳥

當我帶着夢裏的心跳，
睜大發狂的眼睛；
把黎明叫到了我的窗紙上——
你眞理一樣的歌聲。
我吐一口長氣，
拊一下心胸，
從床上的惡夢
走進了地上的惡夢。
歌聲
像煞黑天上的星星。

· 84 ·

越聽越燦爛，
像若干隻女神的手
一齊按着生命的鍵。
美妙的音流
從綠樹的雲間，
從藍天的海上，
匯成了活潑白由的一潭。
是應該放開嗓子
歌唱自己的季節。
歌聲的警鐘，
把宇宙
從冬眠的床上叫醒，
寒冷被踏死了

到處是東風的腳蹤．
你的口
歌向青山，
青山添了媚眼；
你的口
歌向流水，
流水野孩子一般；
你的口
歌向草木
草木開出了青春的花朵；
你的口
歌向大地，
大地的身子應聲酥軟；

蟄蟲聽到了你的歌聲，
揭開土被
到太陽底下去爬行；
人類聽到了你的歌聲，
活力衝湧得彷彿新生。．．
而我，有着同樣早醒的一顆詩心，
也是同樣的不慣寒冷，
我也有一串生命的歌，
我想唱，像你一樣，
但是，我的喉頭上鎖着鍊子，
我的嗓子在痛苦的發癢。

墳

一生的辛苦
把身子按倒，
他開墾過的草阡上
添了一堆黃土。

墳，
像他的爲人，
寒微，謙卑、
搖着幾棵白草，
捲在西風的懷裏。
活着的時節，

工作在田地裏，
死後，他在替兒孫
看守着這田地。
黃昏揹過來，
他要破土而出，
拉住個人
談談心。

社戲

開場鑼
敲得人心慌，
孩子的手
把大人的飯碗奪掉，
他不管你吃飽沒吃飽。
壓箱底的花衣裳，
一年難得見它一兩次面，
今晚上，它給了孩子們光彩，
不管別人看見看不見。
明月把曠野

注成海洋，
遠近的語聲——
一浮一沉的浪。
木梆子報過三更了，
這裏那裏的敲門聲，
敲出了狗的狂叫，
敲碎了別人的夢。
孩子，
睡在大人的肩上，
板凳，
睡在大人的肩上，
他們回來了——
帶着星光，

帶着燈光，
帶着燈光底下
那一片情景，
帶着爲劇中人
開出的淚花和笑影，
帶着這一些，
一直帶到夢中，

收成

黎明鳥
是一口自由鐘
掛在農村，
忽然響起來
半夜三更，
是把十五兩月亮
認做太陽？
睡眼朦朧的亂轉着時針。
身子
打着牀板，

我用了不眠的眼
向着窗上的白光，
轔轔的車聲
碾響了古道，
從我耳中
響入了渺茫。
拍門聲——
一家，兩家，三家
被驚動，
隔牆遙呼聲，
那麼親切，那麼生動，
聲音像詩又像夢，
從聲音裏

聽得出年齡，
聽得出那個是婦女
　那個是兒童．
「真的天亮了嗎」？
我懷疑自己的眼睛，
點亮小燈一看錶，
不對吧，才兩點鐘．
大清早，我沿着溝底的小徑，
（兩邊的岸崖像青的石壁，
它是條小溪貫串在當中，
反剪起手，挺脊鬱結的胸膛，
每天早晨我給它踏上一串脚步聲．）
登上那光祿的石台，

迎接太陽，臉朝着東，
遠處的山色來到我們的眼底，
郊原是多麼坦蕩，比我的心胸！
今早，原野上
開始了拂曉的「戰爭」，
到處是人羣，
弓起腰向前移動
像伏兵。
這是農人們
向自然作最後的鬥爭，
舉起他們的武器——鐮刀，
向着麥隴，
他們從旱澇裏，

• 96 •

從蟲子和黃丹的侵害裏，
從血汗和担心裏，
跳了出來，
今天，把一刻當一天，
以「速戰速決」的精神
爭取着收成。
鐮刀後面
緊追着襤褸的大隊——
他們沒有土地，
却有着要飯吃的嘴，
他們從別人的手底下
爭檢着遺穗。
伸向鄉村的小道上

活動着「坦克」，
不用人牽，
老牛牠會把麥堆的山頭
移到主人的場垣。
場垣，
充實了一個希望，
夜裏有人把守着它的夢，
白天有人在上面忙。
一粒麥子，
是一顆汗珠
一顆黃金
從外場流入了內倉，
可是，他們自己捨不得吃它，

一斗一斗的
一石一石的
往布袋裏裝，
他們那麼辛勞的
　　吝嗇的收進來；
這麼舒心的
　　慷慨的
拿去做軍糧，
千百萬大軍在火線上
手握着槍，
有更多的手把着鋤頭
在後方．

本書在桂林初版，重慶市圖書雜誌審查處曾發給世圖字第三三〇四號審查證・

泥土的歌

著作人　臧克家

發行人　曹辛之

出版處　星群出版公司
上海西門路六〇弄四二號

印刷處　信昌印刷所
上海朱葆三路一四｜六號

・一九四六年二月滬初版印一千册・

每册售價　　　整
・外埠酌加郵運費・